S0-ATG-857

图书在版编目(CIP)数据

小熊不刷牙 /（瑞士）提欧利那著绘；曾璇译. —武汉：长江少年儿童出版社，2014.12
（海豚绘本花园）
ISBN 978-7-5560-1723-2

Ⅰ.①小… Ⅱ.①提… ②曾… Ⅲ.①儿童文学—图画故事—瑞士—现代 Ⅳ.①I522.85

中国版本图书馆CIP数据核字（2014）第263842号
著作权合同登记号：图字17-2014-339

小熊不刷牙

［瑞士］斯伐拉纳·提欧利那／著·绘　曾　璇／译
责任编辑／傅一新　佟　一
美术编辑／赵　青　装帧设计／付莉萍
出版发行／长江少年儿童出版社　经销／全国新华书店
印刷／当纳利（广东）印务有限公司
开本／889×1194　1／16　2印张
版次／2020年12月第1版第16次印刷
书号／ISBN 978-7-5560-1723-2
定价／22.00元

策划／海豚传媒股份有限公司
网址／www.dolphinmedia.cn　邮箱／dolphinmedia@vip.163.com
阅读咨询热线／027-87391723　销售热线／027-87396822
海豚传媒常年法律顾问／湖北珞珈律师事务所　王清　027-68754966-227

小熊不刷牙

［瑞士］斯伐拉纳·提欧利那／著·绘
曾　璇／译

长江出版传媒 | 长江少年儿童出版社

小熊哈利觉得，刷牙真是一件麻烦事儿。

他恨透了牙刷和牙膏！

“哈利，”妈妈说，“该去刷牙了！”

“我知道了啦！”哈利躲在浴室里，打开水龙头。

妈妈还以为他在刷牙呢！

“有那么多牙齿，怎么可能把所有的牙都刷到嘛！”哈利抱怨着，“早上要刷牙，晚上也要刷牙，每天都要刷牙，真是烦透了！”

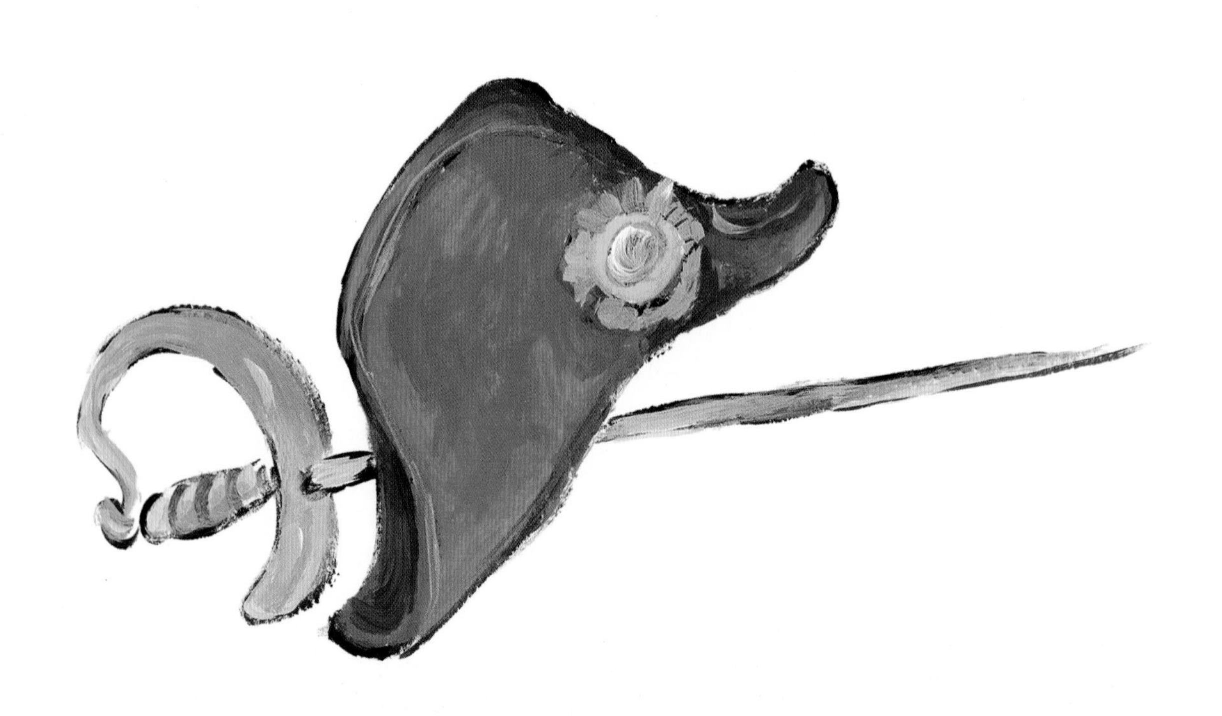

哈利看着自己脏兮兮的牙齿，忽然想到一个好主意："嗯……今天就不刷牙了，明天多刷一次不就行了吗？"

可是，今天推明天，明天推后天，哈利每天都说："明天多刷一次就行了。"不过，到了第二天，他又把刷牙的事忘到九霄云外去了。

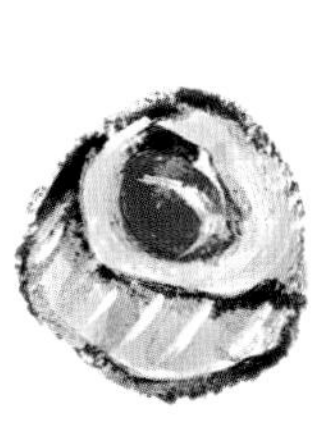

一天，哈利像往常一样，不刷牙就去睡觉了。快要进入梦乡的时候，他忽然觉得嘴巴里怪怪的——原来，所有的牙齿都不见啦！

“咦，我的牙齿呢？我不是在做梦吧？”哈利在床上翻来覆去，他再也睡不着了，一直想着那些失踪的牙齿。

他从床上爬起来，走到镜子跟前，使劲儿张开嘴巴。这一看，让哈利高兴得差点儿晕倒了："哇，嘴巴里真的一颗牙齿都没有啦！"

"哈哈，太好了！"哈利高兴极了，"我再也不用刷牙啦！"他兴奋地跑去找朋友们，迫不及待地想把这件高兴事儿告诉大家。

“告诉你们一个好消息——我现在一颗牙齿都没有啦！”哈利骄傲地宣布。

“什么，牙齿没有了？”兔子和狼都感到非常奇怪，他们大笑起来，“可是，哈利，如果没有了牙齿，你还算是一只熊吗？”

“唉，你们根本就不懂！”

哈利继续往前走，遇到了一只啄木鸟。

“啄木鸟，你看，我的牙齿不见了，一下子全都消失啦，多好呀！”哈利一边炫耀，一边把嘴巴张得大大的。

“可是，哈利，”啄木鸟担心地说，“没有牙齿一点儿都不好玩。你不能吃东西，说话也说不清楚，大家都会笑你的。没有牙齿是很糟糕的呀！”

哈利愣愣地想了想，又挠了挠脑袋。是啊，啄木鸟的话一点儿也没错。没有了牙齿，真的没有什么好炫耀的。

哈利回到家里，发现桌子上摆了许多好吃的东西：坚果、鲜鱼，还有他最爱的干蘑菇。

哈利好想吃啊，可是没有牙齿，他什么都咬不动，只能咕噜咕噜饿着肚子。

哈利难受极了，他跑到屋外哭了起来。

“我该怎么办呀？森林里所有的动物都有牙齿，只有我没有！我看起来完全不像一只熊！我该怎么做，牙齿才会回来呢？谁能帮帮我啊？”他不停地哭，哭得可伤心了。

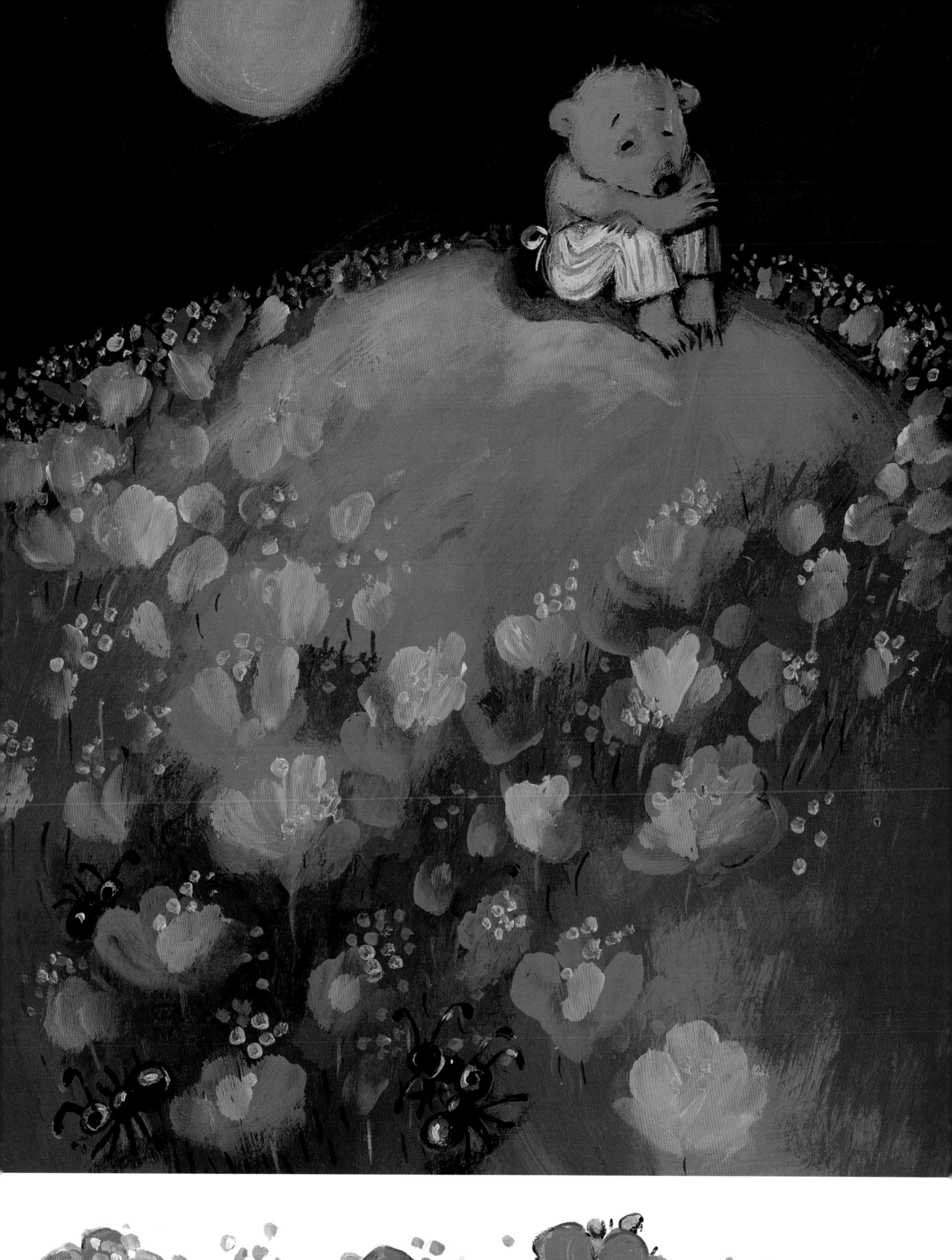

这时，一只猫头鹰飞过来，对他说：“哈利，没有牙齿很痛苦吧？你应该去把牙齿找回来。可是，找回了牙齿，你能保证把它们刷得干干净净吗？你能做到每天早晚都刷牙吗？”

“嗯，我保证，我一定能做到！”哈利大声说。

……这时，哈利醒了。

所有的牙齿都好好地长在嘴巴里呢!

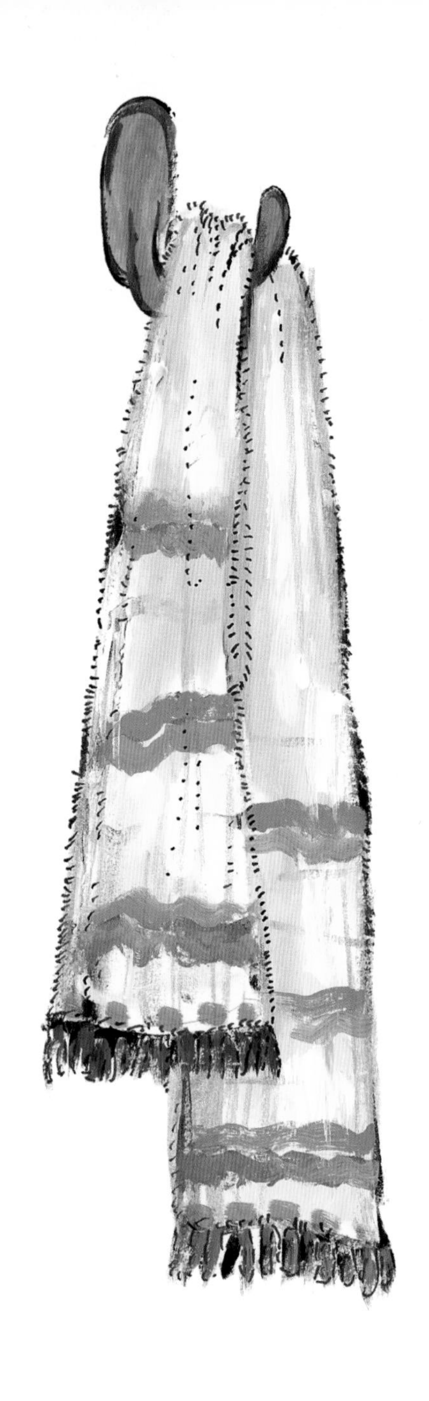

从这一天起，小熊哈利每天都把牙齿刷得干干净净。爸爸妈妈也很高兴，他们说："哈利真是个好孩子。"

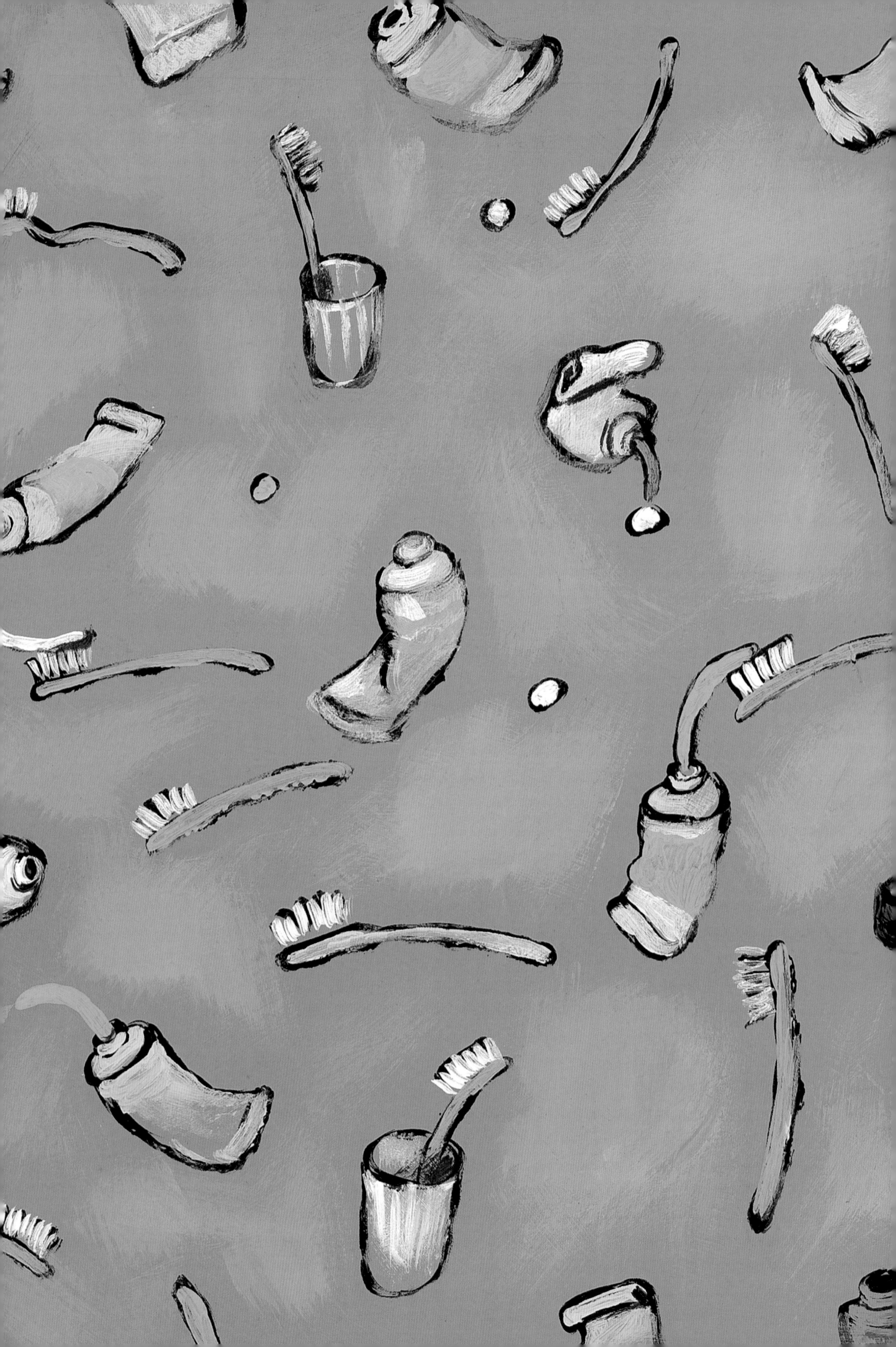